Max et Lili
sont malades

*Avec la collaboration
de Renaud de Saint Mars*

Série dirigée par Dominique de Saint Mars

© Calligram 2001
Tous droits réservés pour tous pays
Imprimé en CEE
ISBN : 2-88445-585-X

Ainsi va la vie

Max et Lili sont malades

Dominique de Saint Mars

Serge Bloch

CALLIGRAM
CHRISTIAN ⓞ ALLIMARD

7

8

* Une cellule est comme un sac microscopique avec un noyau à l'intérieur. La peau, les os, le sang, les muscles, tout notre corps est fait de milliards de cellules vivantes.

9

10

* Quand le corps a déjà rencontré un virus et fabriqué des défenses contre lui, il ne peut plus nous attaquer. Mais il existe des dizaines de virus différents du rhume !

12

Tu nous revois petits quand on est malade... C'est pour ça que tu es plus gentille...

Et un peu plus inquiète, peut-être !

INQUIÈTE ? POURQUOI ? Tu crois que c'est grave ?

Mais non. C'est simplement que je n'aime pas que tu souffres, que tu te sentes mal...

Les vêtements de Lili... ils doivent être infestés de virus ! hé, hé !

17

Un peu de soupe !
Passe-moi ton bol !

Mais je ne suis pas malade, moi... Enfin pas encore !

J'ai appelé Heidi et Mamita, personne ne peut venir la garder... Et moi, j'ai cette réunion...

Écoute, je peux me débrouiller, j'appelerai mon bureau...

Moi, je peux rester pour la garder... D'ailleurs, il est probable que je vais tomber malade, c'est fatal... la contagion !

Si Lili ne va pas mieux, j'appelerai Georges ! S'il peut passer entre deux visites à domicile... ?

Ne t'inquiète pas, c'est juste un rhume...

19

21

LE LENDEMAIN MATIN...

C'est Max qui a sorti Pluche ?

?

Là, j'ai de la fièvre, c'est sûr et certain !

Chaud ne veut pas dire fièvre !

Allez, Max ! Il faut affronter les épreuves !

Vite, tu vas être en retard !

Max, dis à bes copines qu'elles ne s'abusent pas trop sans boi !

23

24

25

* Pour lutter contre l'infection des microbes, le corps fabrique plus de cellules de défense, les globules blancs, qui produisent des substances chimiques, les anticorps.

26

* Rhino-pharyngite : inflammation du nez et du pharynx, l'arrière de la gorge.

28

31

* Vaccins : médicaments fabriqués à partir de microbes affaiblis ou tués pour que ton corps fabrique des défenses et soit protégé.

33

35

* Médicaments qui tuent les microbes et guérissent des infections.

40

Et toi...

Est-ce qu'il t'est arrivé la même histoire qu'à Max et Lili ?

Tu souffres, tu t'inquiètes, tu t'ennuies ? Comprends-tu ta maladie ? Peux-tu rester à la maison ? As-tu été à l'hôpital ?

Es-tu souvent un peu malade ? Es-tu fatigué ou as-tu des soucis ? Sais-tu que l'esprit parle parfois avec le corps ?

As-tu une maladie grave ? une malformation ? Ça t'empêche de vivre comme les autres ? Se moque-t-on de toi ?

As-tu peur de l'inconnu ? des piqûres ? du sang ? de la douleur ? des médecins ? des examens ? de mourir ?

Es-tu content que tes parents s'occupent de toi comme quand tu étais petit ? Ça leur fait plaisir de te soigner ?

Ou bien es-tu déçu car ça énerve tes parents, ça leur complique la vie et tu te sens coupable de les embêter ?

L'as-tu été petit ? Maintenant ton corps se défend bien ? Tu essaies d'éloigner les microbes, de ne pas prendre froid ?

As-tu envie d'être malade pour être chouchouté, ne pas aller à l'école ? As-tu déjà fait semblant ?

Connais-tu le fonctionnement de ton corps ? Sais-tu que les médicaments ne sont pas des bonbons ?

Es-tu bien dans ta peau ? Te sens-tu aimé ? Tes parents font-ils attention à toi, même si tu n'es pas malade ?

Si un copain est malade, lui téléphones-tu, lui écris-tu à l'hôpital ? Est-ce dur d'imaginer la souffrance des autres ?

As-tu des gens malades près de toi ? Parlent-ils de leur maladie ? As-tu entendu une chose qui t'a inquiétée ?

Petits trucs bonne santé de Max et Lili

- Lave-toi les mains avant les repas et
quand tu reviens des toilettes et de l'extérieur.
- Mange les aliments qui aident ton corps
à se défendre contre les ennemis.
- Entre les repas, mange des pommes
ou des bananes comme les champions de tennis.
- Si tu te sens trop gros,
mange un peu moins de tout et ralentis le sucre !
- Ne dîne pas trop tard et couche-toi tôt avec un bon livre.
- Lève-toi un peu plus tôt pour avoir le temps de prendre
un bon petit déjeuner.
- Si tu ne vois pas bien et que tu as mal à la tête,
dis-le à la maîtresse et à tes parents.
- Si tu as des problèmes d'oreilles, vois un médecin,
ça peut être un rhume qui s'est compliqué.

- Ne te déshabille pas quand tu transpires
pour ne pas attraper froid.
- Fais un sport que tu aimes sans te laisser
déborder par trop d'activités.
- Ne te laisse pas stresser par les notes,
elles veulent dire que tu peux t'améliorer.
- Mets un chapeau pour protéger tes yeux et la tête du soleil.
- Évite les coups de soleil ! Ta peau doit fabriquer lentement
du bronzage pour se protéger !
- Ne remplis pas trop ton cartable pour ne pas avoir mal au dos.
- Si tu crois qu'on ne t'aime pas, essaie de te souvenir
de tout ce que tu as réussi et de ceux qui t'ont aidé.
- Si tu as des soucis, parles-en… pour ne pas te venger
avec ton corps en tombant malade.